KB142993

국립극단 희곡선4

# 사랑II | 박본

**LIEBE II | Park Bonn**

<사랑Ⅱ>는 국립극단 제작으로 2021년 6월 23일 국립극단 백성희장민호극장에서 초연되었다. 초연 출연 배우 및 창작진은 다음과 같다.


관점 없는 블랙 현무 – **강현우**
실망 가득 블루 청룡 – **박소연**
불안 장애 레드 주작 – **이유진**
이무기짱 – **김예림**


작 · 연출 – **박본 Park Bonn**
번역 · 드라마투르기 · 연출통역 – **이단비**
미술 – **누스바우머 율리아 Nussbaumer Julia**
음악 – **뢰슬러 벤 Roessler Ben**
안무 – **이경진**
음향 – **김병수**


조연출 – **조예은**
조명보 – **손민영**
의상보 – **신은혜**
분장보 – **남혜연**
음악보 – **이건희**
안무보 – **오진민**
기술통역 – **서샤론**
연습통역 – **이은비**
판소리자문 – **송현아 이해원**

**일러두기**

본 출판본은 국립극단 희곡선을 위해 정리한 것으로,
실제 공연과 일부 다를 수 있습니다.

대사 중 밑줄 표기된 부분은 오토튠(이펙터로 처리되는 기계
음) 효과가 적용되는 문장입니다.

**등장인물**

애정과 완벽을 찾는 아이돌

실망 가득 블루 **청룡** (동쪽)
불안 장애 레드 **주작** (남쪽)
관점 없는 블랙 **현무** (북쪽)
불완전한 화이트 **백호** (서쪽)
**이무기짱**

(전부 사람들이다)

# I   판타지

노래 제목이 먼저 뜨고,


## 〈사랑II〉

*(소절 1)*

**현무**　어쩌다, 사랑에 깊이 빠지면
　　　　모든 게 금빛이야
　　　　하지만 아플 때도 있어
　　　　산성비 같은 한방 침이 심장에 꽂히는
　　　　것처럼

　　　　아프지만 않다면

얼마나 좋을까

미치게 아플 때도 있어

사랑은 지옥의 시작


**(후렴구)**

사랑 다음엔 사랑 II

그 후속편!

사랑이지만 더 좋은 거야

그 후속편!


사랑 다음엔 사랑 II

그 후속편!

사랑이지만 더 좋은 거야

그 후속편!


**(소절 2)**

고마웠어 사랑아

하지만 이제부턴 후속편이야

다른 나라처럼 불완전한 사랑

이제 그만 귀화해


사랑이 금값이라면

아픔은 24K

난 애정이라는 계좌를 원해

이제 흑자 좀 내볼래

**(후렴구)**
사랑 다음엔 사랑Ⅱ
그 후속편!
사랑이지만 더 좋은 거야
그 후속편!

사랑 다음엔 사랑Ⅱ
그 후속편!
사랑이지만 더 좋은 거야
그 후속편!

**(브릿지)**
사랑 다음엔
사랑Ⅱ
사랑 다음엔
사랑Ⅱ

**(후렴구)**
사랑 다음엔 사랑Ⅱ
그 후속편!
사랑이지만 더 좋은 거야
그 후속편!

*사랑 다음엔 사랑 II*

*그 후속편!*

*사랑이지만 더 좋은 거야*

*그 후속편!*


지구 핵에 위치한 검은 정원. 주말농장처럼 전망 좋고 예쁜 곳이다. 섬세한 잔디에 섬세한 영혼들. 온도 조절이 잘 되는 지구 핵에서 신중한 꽃들이 수줍게 자라난다. 마치 세상이 시끌벅적하고 충격적으로 멸망한 후에 으레 찾아오는 평온하고 차분한 분위기이다. 각양각색의 연예 산업이 비처럼 쏟아진다.

청룡, 주작, 현무(전부 사람들)가 정원에 들어와 정성스레 농사를 짓는다. 모두 자살한 상처 자국이 크게 나 있다. 탄탄한 K-드라마에 나올 법한 하려다 마는 키스신이 진행될 수도 있다.


**청룡**   안녕.

**현무·주작**   안녕, 실망 가득 블루 청룡.

**청룡**   안녕, 불안 장애 레드 주작! 안녕, 관점 없는 블랙 현무. 아침 먹었어?

**주작**   (안 먹었지만) 응.

**현무**   (나무랄 데가 많은 부위를 가리키며) 다이어트.

**청룡**  아. (하늘을 올려다보지만 하늘이 없다) 아! (예의바르게) <u>쌍입니다요!</u> 자꾸 하늘을 올려다보게 되네. 예전에 저 위에 살 때 하늘을 정말 좋아했거든. 여기서는 올려다봤자 검은 바위뿐이지만. 하늘이 그립다. 나처럼 아주 파랬어, 훨씬 더 희망적이고.

**현무**  예전에, 저 위에서는 하늘의 동서남북을 바라보는 게 의미 있었어. 여기서는 어딜 봐도 전부 검은 바위뿐이지만. 나처럼 아주 까매. 훨씬 더 잔인해.

**주작**  (할머니한테 쓸 것 같은 말투로) 맞아, <u>젠장.</u>

**청룡**  오늘 그날이야.

**주작**  응, 오늘처럼 특별한 날에는 하늘에 해가 다시 떴으면 좋겠다. 나처럼 새빨갛게, 그러나 나와 다른 강렬한 온기와 생명력으로.

**청룡**  이 특별한 날에 집중해, 좋은 것만 떠올리지 말고.

**현무**  좋은 걸 즐기는 일 초는 특별한 날을 위해 일하는 일 초와 같아. 둘 다 똑같이 일 초야, 하지만 둘 중 하나만이 우리를 목표에 이르게 해.

**청룡**  그렇게 좋은 걸 떠올리면 부끄럽지도 않냐?

**주작**  하지만 언니도 방금 하늘이 그립다고 했잖아?

**청룡**  내가 언제 '하지만'이라고 토 달라고 가르쳤니?

**주작**  우리 언니한테 '하지만'은 말이 안 되지.

**청룡**  그래, 똑똑해서 좋네.

**주작**  고마워.

**현무**  (정원에 있는 흙에서 뭔가를 파낸다) 오, 여기 <u>좋은</u>

거 있어.

**주작**  오! 좋다!

**현무**  이거 내가 가져도 돼?

**청룡**  좋은 건 자격이 없어. 완벽한 것만이 자격 있지. 유일하게.

**현무**  맞아, 완벽한 것만이 자격이지. 이거 내가 가져도 돼?

**청룡**  넌 왜 그렇게 불완전한 걸 좋아해?

**현무**  모르겠어. 그냥 감정이 그리운가 봐.

**청룡**  정신 차리고 카트에 실어!

**현무**  네, 누님.

**청룡**  너네 오늘 엄청 흥분한 것 같다.

**주작**  그날이잖아, 또다시. 마지막 그날이 자꾸 생각나, 그 애가 자살한 게 생각나. 그러다 내가 자살한 게 생각나, 우리 모두가 자살한 게 생각나.

**청룡**  우리의 죽음은 정당했어. 우린 의무감에 아이돌이 되려 했고, 그게 안 되니까 의무감에 자살한 거야. 저 위에서 우리가 더 이상 무슨 쓸모가 있었겠어.

**주작**  태양을 바라볼 수 있잖아.

**청룡**  우리가 여기서 하는 일은 아주 중요해.

**현무**  (속으로 다르게 생각하지만) 우리가 여기서 하는 일은 아주 중요해.

사람 크기만 한 벌집이 의욕에 넘쳐 움직이기 시작
한다. 사실 아까부터 여기 있었지만, 아무도 이 벌
집을 언급하지 않았다. 세 명의 실패한 아이돌이
이 벌집에 관심을 보인다.

**청룡**    시작이다!

**현무**    드디어!

**주작**    두려우면서도 기대돼.


벌집이 떨리며 열심히 빛을 발산한다. 안에서 뭔가
가 겉면을 파먹는다. 완벽한 혹은 스산한 존재가
점액질로 뒤덮인 채 반짝거리며 벌집의 마지막 봉
방들을 먹어치우더니 어미 품에서 쏟아져 나오는
새끼 노루처럼 정원에 떨어진다. 세 명은 몸을 사
리며 흥분한다.


**청룡·현무·주작**   안녕하세요! 우리는 슈퍼 한恨이에요. 오늘
〈배터리 1%〉로 데뷔 무대를 보여드릴 예정입니
다. 무슨 내용이냐면, 우리 모두가 자살한 얘기예
요. 우리가 여러분과 우리의 기대에 부응하지 못
해 모두를 실망시켰거든요. 우린 물러터지고 열심
히 하지 못했어요. 사랑하는 엄마 아빠, 우리가 살
아 있지 못해 죄송해요. 하지만 그 대신 우리는 이
제 자살한 아이돌이 되었어요. 정말 미쳤죠. 근데

성공할 수 있을 것 같아요. 우리는 항상 최선을 다할 거예요. 여러분의 기대를 충족시키고 사랑의 후속편으로 가슴을 채워드리며 모두가 걱정 없는 삶을 살 수 있기를 기대합니다. 저희는 복수와 애정을 갈구합니다! 열렬한 응원 주세요!

**청룡**    이제 시작이다!


이무기짱은 합류하자마자 이미 그 자체로 완벽하다. 걷거나 말하거나 넘어지거나 아픔이나 자본주의의 규칙을 채 배우기도 전에.


### 〈배터리 1%〉

(소절)

**청룡**    예전엔 해가 떴어

그럼 모든 게 괜찮았어 *Shiny*

**주작**    지금은 모든 게 완전 엉망이야

해가 떠도 소용없어 *Almighty*


**현무**    *Suicide* 하나의 *Option*

*Cruel night* 이제 낮에도 찾아와

**청룡·주작**  *Damn alright* 춤도 못 추겠어

**청룡·주작·현무**  *So give up the fight*

**청룡·주작** 그리고 *suicide*

**현무**      *suicide*


**(후크)**

**주작** <sub>코러스</sub>   *Empty empty*

            *Battery is low* 내 배터리는 일 프로

            *Empty Empty*

            *Battery is low* 네 배터리는 일 프로


**(랩)**

**이무기짱**   *Spare me some energy*

            *Lend me your* 충전기

            *Be my* 최고령도자

            *I'll be your Dennis Rodman* 오빠

            *Not even a Dyson sphere*

            *can charge me in a million years*

            *A black hole in my soul*

            내 영혼 속에 블랙홀

            *sucks in my inner beta centauri*

            *it's on an energy safari*

            안녕히 계세요

            *My battery is forever low*

            *forever low, forever low*

| 현무 | *Suicide* 하나의 *option* |
|------|-------------------------|
| | *Cruel night* 이제 낮에도 찾아와 |

**청룡·주작** *Damn alright* 춤도 못 추겠어

**청룡·주작·현무·이무기짱** *So give up the fight*

**청룡·주작·현무** 그리고 *suicide*

**이무기짱** *suicide*


**주작** 코러스  *Empty empty*

                *Battery is low* 내 배터리는 일 프로

                *Empty empty*

                *Battery is low* 네 배터리는 일 프로


**(브릿지)**

**청룡** *Bang bang bang bang*

                *Bullets into my head*

                *Bang bang bang bang*

                내 배터리 *is dead*


**(후크)**

**다같이** *Empty empty*

                *Battery is low* 내 배터리는 일 프로

                *Empty empty*

                *Battery is low*

**이무기짱** 네 배터리는 일 프로

**이무기짱**  난 뭐야?

**현무**  우와, 진짜 잘한다.

**주작**  너 완벽해. 잡아먹어야겠어, 너무 완벽해서.

**청룡**  넌 무시무시한 용이 되려고 만 년 동안 수련한 뱀
이야.

**이무기짱**  뭐?

**주작**  너 많이 힘들었겠다. 우선 뭐 좀 먹어!


다 같이 핫도그를 먹는다.


**이무기짱**  그러니까 내가 무시무시한 용이 되려고 만 년 동안
수련한 뱀이라고?

**청룡**  맞아.

**이무기짱**  엥? 뱀? 용이라니?

**현무**  저 위쪽 세상에서 전해져 오는 오래된 전설이야.
저 위에서는 연예 산업, 아픔, 이야기를 믿거든. 물
론 넌 진짜 용은 아니야. 우리 같은 사람이지. 하지
만 넌 여기서 태어났어.

**이무기짱**  너네는? 어디서 태어났어?

**청룡**  엄마한테서!

**이무기짱**  엄마?

**청룡**  어, 우린 엄마한테서 나왔지.

**이무기짱**  좋은 거야?

**청룡**  오 그럼, 최고야.

| 주작 | 아주 최고지. 엄마! |
|---|---|
| 현무 | (속으로 다르게 생각하지만) 그래. 아주 최고야. |
| 청룡 | 여기에 있는 전부 다가 네 엄마야. 지구의 핵. 세상의 중심. |
| 주작 | 저 위의 존재들은 세상의 중심이 노란 용이라고 믿어 왔어. 사실 여기 이 정원인데. 웃기지 않아? |
| 이무기짱 | 응! |
| 현무 | 우린 여기서 동서남북을 가리키는 신화 속 동물이 되었어. 뭐 그래봤자 결국에는 아이돌이 되지 못해 자살한 인간에 불과하지만. |
| 주작 | 하지만 죽지 않고 이곳에 왔어. 지구 핵에 있는 이 정원에. |
| 이무기짱 | 너희는 뭐야? |
| 청룡 | 우리는 전직 아이돌이야. 혹은 아이돌이 될 뻔했다고 할까. 이렇게 젊은 시절의 몸에 갇힌 채 이 아래에서 산지 꽤 됐어. 몸은 예전 모습 그대로인데, 꿈은 모두 사라졌지. |
| 이무기짱 | 여기서 뭘 하는데? |
| 주작 | 농사 지어. |
| 이무기짱 | 농사? |
| 현무 | 맞아, 농사. 여기서 자라는 모든 걸 우리가 키워. 연예 산업에 필요한 것들이야. 감정과 스타일, 트렌드, 이야기, 허그하기 그리고 스캔들, 춤 동작, 예쁜 목소리와 완벽해 보이는 얼굴, 겸손한 태도 그리고 |

인상적인 헤어 컬러.

**청룡**　숨을 멎게 하는 뮤직 비디오들.

**주작**　그리고 끝을 모르는 열의.

**이무기짱**　그럼 나는….

**청룡**　그래, 넌 우리가 재배한 가장 중요한 결과물이지. 만 년에 한 번만 피어나거든. 넌 우리 팀의 네 번째 이자 마지막 멤버야. 바로 슈퍼 한<sup>懽</sup>!

**이무기짱**　용이 되려는 뱀.

**청룡**　아니면 완벽한 아이돌이 되어야 하는 평범한 여자애일 수도. 만 년 만에 저 위쪽 세상으로 올라가서 완벽한 춤, 노래, 개성으로 모두를 매혹시키는 거지.

**이무기짱**　그러면?

**주작**　그러면 예언이 실현되는 거야.

**현무**　그랬으면 좋겠다.

**주작**　그럴 거야!

**이무기짱**　예언이 뭔데?

**청룡**　<u>사랑Ⅱ.</u>

**이무기짱**　???

**주작**　사랑의 후속편이래.

**현무**　사랑인데 더 좋은 거야.

**주작**　결점이 없어.

**청룡**　아픔이나 슬픔과 같은 결점을 모두 보완해서 전보다 훨씬 더 좋은 거야. 완벽한 감정.

| | |
|---|---|
| **현무** | 그럼 모두가 행복해질 거야. 영원히 행복할 거야. |
| **주작** | 행복이 아니라, 완벽한 삶이지. |
| **청룡** | 흠잡을 데 없이. |
| **현무** | <u>만 년 동안</u> 연습하고 열정을 쏟아부으면 모든 결점을 극복하고 마침내 완벽한 아이돌이 되는 거래. 아직까지 그런 경우는 없었지만. |
| **이무기짱** | 내가 완벽한 아이돌이 된다고? |
| **주작** | 올해가 <u>만 번째 해야.</u> 넌 9999년 동안이나 이 벌집 속에 있었어. 우리가 널 먹이고, 물을 주고, 애정을 줬지. 넌 우리의 희망이야. |
| **현무** | 너한테 거는 기대가 커. |
| **청룡** | 너한테 <u>모든 기대</u>를 걸었어. |
| **주작** | 이제 사랑Ⅱ의 전설적인 시험을 치를 준비해. 그 시험이 언제 끝날지는 알 수 없어. |
| **이무기짱** | 뭐? |

## II  로맨틱 코미디/복수

로맨틱 코미디 음악. 로맨틱 코미디스러운 복수 시
퀀스: 주작은 이무기짱에게 키스하려다 마지막 순
간에 마음을 바꿔 먹는다. 청룡과 현무도 똑같이
하다가 서로 멱살을 잡는다.

**이무기짱**  뭐야?

**주작**  하하하! 로맨틱 코미디와 복수 시험이지.

**이무기짱**  뭐가 뭔지 모르겠어!

**주작**  조만간 다 알게 될 거야. 열심히 하면 돼.

**이무기짱**  하지만 이런 걸 왜 해?

**주작**  그게 말이야, 자살은 재밌자고 하는 게 아니잖아.
처음에는 솔깃하게 들릴 수도 있지만 결국 피를 쏟
아내고 생명을 잃는 거야. 사는 게 아무리 힘들어

도, 저 위쪽 세상에서는 '더 이상 살 필요 없어' 이렇게 말하는 경우는 없어. 부모님, 친구, 애완동물 가슴에 못을 박는 거니까. 아무리 대담한 신이라도 상상할 수 없는 아픔이야. 정말 미친 듯이 아파. 진짜 진짜 아파. 아야 아야 아야. 죽을 것같이– 아야. 왜 그런 줄 알아?

**이무기짱**  아무것도 모른다니까.

**주작**  그래. 이 '아야'가 말이야. 그게 사랑이야. 오직 사랑만이 찢어발길 수 있는 거야. 저 위쪽 세상에 이런 말이 있어. 나를 죽게 하지 못하는 고통은 나를 더 강하게 만들 뿐이다. 근데 사랑만 예외야. 그냥 소파 위에 그대로 널브러져 있어도 괜찮아. 가슴 속의 텅 빈 구멍을 초콜릿 아이스크림과 술로 채우려는 너의 그 처절한 노력을 아무도 방해 못 해. 어쩌면 사랑이라는 건 손수건 가게를 운영하는, 돈에 눈이 먼 어떤 백만장자가 만들어낸 건지도 몰라. 최고의 학자들을 고용해서 사랑이라는 잔인한 괴물을 창조해 낸 거지. 그래야 인류가 영원히 눈물을 흘리며 손수건을 많이 살 테니까.

동시에 로맨틱-코미디-복수 시퀀스가 진행된다.

**현무**  이게 무슨 감정이지? 우린 그냥 좋은 친구 사이일 뿐이잖아?

**청룡**     우리 엄마를 죽인 살인자를 반드시 찾아내서 울며
          불며 소리치고 이 두 주먹으로 내려칠 거야.

**주작**     항상 우리를 무릎 꿇게 만들어.

**이무기짱**  으으윽. 사랑! 개자식이네. 난 절대 사랑 앞에서 무
          릎 안 꿇어. 차라리 사랑을 없애버리려 시도하다
          죽는 게 낫지.

**주작**     우리 말고도 사랑을 없애려는 시도는 많았어. 성공
          한 적은 없었지만.

**이무기짱**  하지만 난 선택받았다며. 그럼 내가…?

**주작**     하! 넌 아직 배울 게 많아. 하지만 네 가슴은 이제
          복수로 가득 차서 다른 걸로 채워질 자리가 없어.
          그게 중요해. 순수한 그 감정이.

**청룡**     북한에 있는 그 나무 위에서 널 발견했을 때, 그때
          이미 느꼈던 걸까?

**현무**     네가 찾는 사람은 나야! 이 여자는 내버려 둬!

**주작**     사랑은 종착지야. 역대급 악당들을 모두 다 섞어
          놓은 짬뽕도 사랑처럼 맵지는 않을 거야. 아무리
          선택받은 자라도 파괴 못 해.

**이무기짱**  아니, 할 수 있어!

**주작**     그래서 파괴하는 것보다 후속편을 찾는 게 더 나
          아. 사랑이 잔인한 건 그게 너무 좋으니까, 그게 삶
          이니까. 그래서 우리가 할 복수는 사랑Ⅱ를 찾아내
          서 그걸로 사람들, 동물들, 식물들의 가슴을 가득
          채워 사랑을 없애버리는 거야. 거기서 사랑Ⅱ가 시

작되는 거지.

**이무기짱**  하지만!

**주작**  아니! 파괴할 수 없어. 사랑은 필요해. 사랑의 완벽한 버전을 만들어내기 위해서는 사랑한테서 배워야 해. 결점 없는 사랑.

**청룡**  울란바토르에 있는 시장에서 우연히 발견한 이 목걸이, 이게 정말로 그의 어머니 것이었을까?

**현무**  그 여자 털끝 하나라도 건드려 봐, 두 배로 갚아줄 테니까!

**이무기짱**  사랑Ⅱ가 뭔데?

**주작**  우리도 몰라.

**이무기짱**  그럼 어떻게 찾아?

**주작**  여기 이 정원 어딘가에 있을 거야. 네 안에 있을지도 몰라. 너일지도 몰라. 그리고 어쩌면….

**이무기짱**  어쩌면 뭐?

**주작**  내 생각에 사랑Ⅱ는 복수와 로맨틱 코미디를 섞어놓은 어떤 거야. 참회 없이 오직 명예회복이 전부인 복수. 연민도 없어, 부당하게 겪은 고통을 되갚기 위해 수정처럼 투명한 희열이 존재할 뿐이지. 예쁘고 유쾌하고 유머러스한 연애도 나와. 그걸 보고 있으면 오글거리고 민망하면서도 뭔가 마음을 툭하고 건드리는 바람에 부끄럽지만 따뜻한 눈물을 흘리게 돼. 그 두 가지야.

**청룡·현무**  왜 자꾸만 그 여자/그 남자 생각이 날까?

**청룡·현무** 모든 걸 걸어서 당신을 찾고 말겠어!

**이무기짱** 뭔가 안 맞는 것 같으면서도 엄청 환상적인 얘기 같네.

**주작** 우리의 증오를 총동원해서 사랑을 제압한 후에 후속편을 찾아야 해. 결점 없는 사랑이 필요해. 플라스틱 쓰레기가 나오지 않는 아이스 아메리카노, 입냄새 안 나는 마늘, 두피를 상하지 않고 하는 염색처럼. 사랑이 돌아오지 않을 때 느껴지는 고통 없이 뱃속에서 간질간질한 설렘을, 조건 없는 애정을 느끼고 싶은 거야. 연인과의 친밀한 관계, 무조건적인 헌신, 서로를 아껴주는 마음이 필요해. 상대방을 너무 좋아하다 보면 생기는 미운 감정 없이. 그리고 사랑하던 누군가가 죽으면 기뻐할 수 있어야 해. 아프면 안 돼, 그게 어떻게 가능할지 모르지만. 아무튼 그래야 해. 내 삶에서 누군가가 떠나도, 누군가가 자신의 삶을 마감해도, 그게 뭐든 간에 아프면 안 돼. 항상 좋아야지. 사랑 때문에 싸움도 전쟁도 일어나서는 안 돼. 항상 애정으로 가득하고 다정해야 해. 우리가 원하는 건 사랑이 주는 영원한 우정이지 그게 깊어지면 생기는 영원한 적대감이 아니야. 너무 깊어지면 좋아져야지, 나빠지는 게 아니라.

**이무기짱** 이 두 사람 지금 뭐 하는 거야?

**주작** 너를 위해 로맨틱 코미디와 복수를 위한 혼령들을 불러내는 거야.

**현무**　모두가 우리를 바라보며 눈물 흘려. 오글거리면서
　　　　도 너무 좋은가 봐.

**청룡**　너를 죽이면 나를 비롯해 지켜본 모두가 아주 뻔뻔
　　　　하게 행복할 거야!


### 〈사랑 II〉 후렴구

**청룡·현무**　사랑 다음엔 사랑 II
　　　　　　그 후속편!
　　　　　　사랑이지만 더 좋은 거야
　　　　　　그 후속편!

　　　　　　사랑 다음엔 사랑 II
　　　　　　그 후속편!
　　　　　　사랑이지만 더 좋은 거야
　　　　　　그 후속편!


**주작**　이제 나한테 키스할 것처럼 해.

**이무기짱**　뭐?

**주작**　로맨틱 코미디와 복수 시험을 통과해야지.

주작은 또다시 이무기짱에게 키스할 뻔한다.


**주작**  그리고 이제 맨주먹으로 날 쳐. 울고불고 소리지르면서 증오로 가득하게 슬프게 때려.

**이무기짱**  하지만!

**주작**  어서 해! 로맨틱 코미디와 복수를 위한 시험이라니까. 통과 못 하면 사랑의 후속편도 없어.

**이무기짱**  하기 싫어!

**주작**  해야 해! 안 그럼 우리 모두 끝이야.

**이무기짱**  제발!

**주작**  하라고!

**이무기짱**  하기 싫다니까!

**주작** <sub>사랑 역할</sub> 네가 사랑했던 사람들, 네가 증오했고, 심지어 네가 모르는 사람들까지도 내가 아주 비열하고 가차 없이 괴롭혔어. 이 행성에 살아 있는 존재를 모조리 다. 네 부모를 내가 모욕했어. 억지로 같이 살게 만들었어. 그리고 네 언니 동생들의 가슴에 수천 번도 넘게 상처를 줬어. 세계 대전을 내가 꾸몄어. 나라들을 영원히 갈라놓고, 부를 몰아주고 가난을 퍼뜨렸어. 순진함과 교활함을 발명했고, 죽어가는 새를 갖고 노는 고양이마냥 너네들 감정을 갖고 놀았어. 이렇게 미소를 스윽 지으면서. 왜냐하면 내가 사랑이거든!

**이무기짱**  아!

**주작** <sub>사랑 역할</sub> 이렇게 미소 지으며. 남들이 메로나를 좋아하듯
이 나는 불평등과 고통을 즐기니까.

**이무기짱**　아아아아아!

이무기짱이 행동을 시작한다. 주작(사랑 역할)의 얼굴
에서 반짝이가 뿜어져 나온다.

**청룡**　우리는 역겨워하면서도 만족스럽게 지켜본다.

**현무**　이게 복수야.

한동안 상황이 이어진다. 딱 봐도 너무 길어지고
있다. 그러다 이무기짱이 돌을 집어 들더니 높이
들어올린다. 그 돌을 채 던지기 전에.

**현무**　자 이제! 그 돌을 버려. 틀린 선택을 해. 그리고 목
숨을 살려줘. 지친 모습으로 털썩 주저앉아. 더 지
친 모습으로! 숨 쉬어! 더 가쁘게 몰아쉬어! 너의
분노를 저 비 내리는 밤하늘에 대고 쏟아내! 더
크게!

**청룡**　통과.

# III 신비로운 위쪽 세상

이무기짱과 불안 장애 레드 주작은 복수로 내린 비에 아직 온몸이 젖어 있다. 다른 두 인물이 헤어드라이어로 둘의 머리를 말려준다. 카타르시스를 느낀 후의 평온함이 감돈다.

**주작**　　괜찮아?

**이무기짱**　어. 그런 것 같아.

**주작**　　너 누구 때려본 적 있어?

**이무기짱**　기억이 안 나.

**현무**　　아, 그럼 지난 9999년 동안에 있었던 일은 모르는
　　　　거야?

**이무기짱**　음. 몰라. 난 내가 무덤처럼 느껴져. 수천 명이 내
　　　　안에 묻혀 있는데 다들 죽어서 나한테 아무 얘기도

들려주지 못해. 죽어 있는 사람들의 삶이, 그게 나인 것 같아.

**청룡**  무슨 말인지 알아.

**주작**  궁금한 거 없어? 우리가 도움이 될 수도 있어.

**이무기짱**  음. 있어! 저 위쪽 세상에 대해 알려줘. 거긴 어때?

**청룡**  <u>위쪽 세상이라!</u>

**현무**  음… 환상적인 곳이지.

**주작**  어떻게 설명하면 좋을까? 음… 여기 이 공간을 좀 봐. 이 정원 말이야.

**이무기짱**  응.

**주작**  하나의 공간, 하나의 정원뿐이잖아. 위쪽 세상은 무수히 많은 공간들로 이루어져 있어. 숲과 산과 바다로. 여기에 있는 이 정원처럼, 하지만 훨씬 더 크고 다양한 색깔의 하늘이 있어.

**이무기짱**  하늘?

**청룡**  어, 저 위를 끝도 없이 올려다볼 수 있어. 덮개가 없거든.

**이무기짱**  우와!

**현무**  그러니까 위쪽 세상은 이 정원과 비교할 수 없을 정도로 커. 이미 몇십억 년 동안 존재해 왔어. 처음에는 저 위가 아주 더웠어. 심하게 더웠어. 그러다 아주 아주 추웠어. 그러더니 다시 아주 아주 더웠어. 그리고 또다시, 또다시. 그러다 어느 날 생명체가 나타났어. 물 밑에서 살았는데, 너무 작아서 아무도 알아차리지 못했어.

**청룡**  그러다 수억 년 후에 그 생명체가 뭍으로 올라가더니 다리가 생겼고, 남자와 아이들을 얻었어. 다리의 숫자는 시간이 흐르면서 자주 바뀌었어. 어떤 때는 수천 개였고, 어떤 때는 두 개뿐이었어. 생명체들의 모습도 다양하게 변해 왔는데, 아주 작았다가 아주 컸다가, 털로 뒤덮였다가 벌거숭이였다가. 하지만 먹는 거. 그건 모두가 해야 했어. 그게 다이긴 했어. 먹는 거, 그리고 자는 거. 꿈도 안 꿨을지도 몰라. 꿔봤자 먹는 꿈.

**주작**  그러다 어느 날 엄지손가락이 생겼어. 여기 이거. 그러자 할 수 있는 게 생겼어. 예를 들어 손으로 물건을 집는 것처럼. 그리고 모든 게 정신없어졌어. 그때 꿈이라는 게 생겼어. 사랑 II 에 대한 갈망이. 원하는 게 많아졌어. 온갖 것들을. 왜 그랬는지 알수 없지만.

**현무**  혼자서 먹을 수 있게 되자 처음에는 먹을 걸 더 원했을지도 몰라. 그러다가 애정을 느껴보고, 연인을 더 많이 원하게 되고, 새로운 장소들을 보고 싶어하고, 그러다 집을, 차를, 학위를, 사과만 한 크기의 수박을, 제자리에서 빙빙 돌아 현기증 나는 기차도 타고, 또 타고! 해변에 누워 태닝을 하고, 기록 향상이 목적인 스포츠에 대해 이야기하고, 술에 취하고, 다음 날 후회하고, 그러고 나서 또다시 취하고!

**이무기짱**   전부 다?

**청룡**   아플 때 병원에 가고, 아프기 전에 병원에 가고, 아
프지 않지만 더 예뻐지려고 병원에 가고, 화면 앞에
서 노래 부르고, 두 번째 차를, 더 좋은 전망과 도심
에 있는 두 번째 집을, 그리고 도심에서 가능한 한
멀리 떨어져 있는 세 번째 집까지.

**주작**   어쩌면 세 번째 차까지. 그러다 주말이면 또 걸어서
다니겠지만, 요즘 워낙에 걸을 일이 없으니까.
옷, 여름에 입기엔 너무 더운 옷. 그리고 겨울에 입
기 너무 추운 옷. 그래도 보기에 멋있어서 입는 옷.
곤충 배설물로 만든 옷. 시계. 팔에 두르는 시계, 컴
퓨터인 시계, 그래도 팔에 두르는 거, 그리고 시계
가 내장되어 있는 컴퓨터, 그건 책상용으로. 통틀어
서 시계라는 건, 시스템으로서의 시간을, 수학으로
서의 시간을, 시간 자체를 길들여. 관상용 꽃들, 향
기를 맡기 위한 꽃들, 통증을 가라앉히기 위한 꽃
들, 풍선들, 대륙 간의 여행, 여가선용, 타일로 만든
바다 안에서 헤엄쳐 나갔다가 다시 돌아오기.

**이무기짱**   설마 더 있어?

**현무**   규칙들, 아주 많은 규칙들. 종이 위에 써진 규칙들
과 눈에 보이지 않는 규칙들. 어떤 규칙들은 널 감
옥으로 보내고 또 어떤 규칙들은 소주를 원샷하게
만들어. 반은 젖꼭지를 보여도 되고, 나머지 반은
보이면 안 돼. 너보다 나이가 많은 사람 앞에서 넌

속으로만 생각해야 해. 그래도 또 말은 해. 그리고 슬플 때면 집에서 혼자 울어도 되지만, 직장이나 지하철에서는 안 돼. 아 맞다, 지하에 기차가 다녀!

**이무기짱**  이게 끝이지 그치?

**청룡**  한 여자애가 태어나고, 학교에 입학하고, 방과 후에 학원에 가고, 그다음에 숙제를 하고, 그리고 대학에 가고, 그리고 아이를 낳고, 그리고 매일 집에만 있어. 그럼 그 여자는 왜 그렇게 도전적으로 살아왔을까 되묻게 되지. 마치 하루가 500시간이라도 되는 것처럼 일하고, 공부하고, 자연과학에 빠삭한데 정작 그걸 써먹지도 못하니까. 그러면 그 여자는 끝없는 슬픔에 빠지고 그 슬픔은 가족을 전염시키고 결국 나라 전체를 전염시켜. 백만 배로!

**현무**  그리고 대도시가 있어. 저기에 있는 나무보다 천 배는 높은 건물들이 있어.

**이무기짱**  천 배나 높다고? 우와!

**현무**  그래, 적어도 천 배! 그런 건물들이 수천 개 있어! 그런 건물들은 사람들이 한 땀 한 땀 돌을 쌓아올려서 만든 거야. 그 안에 있는 의자들, 정수기들, 램프들은 전부 엄지손가락이 있는 한 사람이 생각해내고 만든 거야. 그 안은 각양각색의 불빛들로 가득해서 어두워질 일이 없어.

**청룡**  그건 전기로 작동되는데, 마법 같은 거야. 그리고 그 전기라는 게 인터넷을 살아 있게 해.

이무기짱 인터넷?

청룡 인터넷. 그게….

주작 신이야!

청룡 맞아, 신과 같아! 삶과 같아, 실재하지 않을 뿐이지. 그게 어떻게 생겼는지 아무도 몰라. 그런데 어디에 나 있어. 진짜 세상처럼 그 안에서 길을 잃을 수도 있고 진짜 세상보다 수천 배는 커. 사실 미동도 안 한 채 화면만 뚫어져라 쳐다보지만 마치 미로 안에 있거나 긴 여행을 떠난 것 같은 기분이 들어.

현무 그게 널 파괴할 수도 있어, 영원히. 인터넷은 삶이 기도 하지만 죽음일 수도 있거든.

주작 신이야.

이무기짱 저 위에 설마 이거 말고도 더 있어?

청룡 있어! 셀 수 없이 많은 게 있어. 아직 시작도 안 했 는걸.

이무기짱 위쪽 세상은 엄청 환상적인 곳인가 봐.

주작 그리고 이 모든 건 돈으로 살 수 있어.

이무기짱 그럼 돈이 전부야?

청룡 좋은 질문이야! 어! 아니! 어! 아니! 어니! 그 모든 건 사랑Ⅱ를 얻기 위한 미숙하고도 애정 어린 시도 들이야. 왜냐하면 사랑Ⅱ가 전부니까. 순전한 즐거 움이자 행복이지.

현무 그리고 연예 산업이라는 게 있어. 우리가 태어난 그 나라에서 생겼어. 위로와 즐거움을 줘. 컵라면처럼 빠르고 쉽게 소화되는 감정을 느끼게 해주지.
사랑, 증오, 복수, 유머를 우리가 쉽게 이해할 수 있
는 이미지와 소리로 보여줘. 모든 걸 쉽게 만들어
줘. 사실 그게 꽤 복잡하거든, 감정이라는 게. 감정
보다 복잡한 것도 없어. 하지만 연예 산업이 그걸
컵라면처럼 만들어 내. 빠르고, 따뜻하고, 맛있게,
누구나 요리할 수 있게. 그걸 진정성 있게 정말 끊
임없이 정말 죽도록 열심히 만들어.

**이무기짱**  위로가 왜 필요한데?

**현무**  아, 그게 말이야 좀 복잡해.

**청룡**  위쪽 세상 사람들은 항상 슬퍼. 모든 게 힘들거든.
모든 게 항상 힘들어.

**이무기짱**  왜?

**주작**  그냥 그런 거야. 그게 법칙이야. 하늘은 파랗고 사
람들은 슬퍼.

**청룡**  비가 널 태워버릴 수 없잖아. 비는 항상 축축하니
까. 그런 거야.

**현무**  그래서 연예 산업이 존재하는 거야. 세상에서 제일
중요해. 그것만이 유일하게 진지하게 철저하게 사
랑Ⅱ를 찾거든.

**주작**  위쪽 사람들은 아이돌들, 월드스타나 티브이 프로
그램들을 전부 머리가 비상한 연예 산업 종사자들
이 만들어낸다고 믿거든. 그런데 사실은 우리가 그
걸 찾아 내. 여기 이 정원에서. 그리고 저 선로를 따

라 직접 위로 보내는 거야. 그럼 저 위에서 그게 아이돌이 되거나 뮤직 비디오가 되거나, 모두가 느끼는 감정이 되는 거야.

**청룡**  그런데 이제 거의 다 왔어. 예언이 맞다면 그럼….

**현무**  네가 우리를 사랑Ⅱ로 인도할 거야. 그럼 우리가 드디어 완전하고 완벽해지는 거야. 더 이상 그 누구도 힘들 일이 없을 거야.

**주작**  너한테 거는 기대가 커.

**청룡**  너한테 모든 기대를 걸었어.

**주작**  봐봐, 이건 우리가 갖고 있는 위쪽 세상의 마지막 유물이야. (슬리퍼다) 예전에 저 구멍 사이로 떨어졌어. 주인이 누구였을까? 이거 신고 걸으면 집 생각이 나. 집에서 나던 소리야.


주작은 낡아 빠진 슬리퍼를 신고 질질 끄는 소리를 내며 걷는다. 모두 상기된 표정이다.

# IV  열심히 (몽타주)

**청룡**    이무기짱! 9999년 동안 널 여기서 가꾸고 재배했
다. 하지만 완벽해지려면 아직 일 년이라는 시간이
남았다. 올해가 네 마지막 훈련이자 만 번째 되는
해이다. 우린 너한테 모든 기대를 걸었다. 우리를
실망시키지 마라! 완벽한 아이돌이 되어서 사람들
의 가슴과 영혼을 사랑Ⅱ로 가득 채워 바로 옆에
있는 태양계까지 행복을 퍼뜨릴 수 있게 너의 마지
막 훈련이 이제 시작된다! 이건 네 열의를 보는 시
험이다! 일 년 동안 자지도 못하고 먹지도 못하고
훈련해야 해! 살살 쏟아부어! 살살 죽을 만큼만 해!

몽타주: 이무기짱이 훈련을 한다. (적어도) 죽을 만
큼 열심히 한다.

## 〈열심히 몽타주 쏭〉
**(우울한 판소리 팝)**

**청룡·현무·주작**  열심히 사랑Ⅱ는 열심히 열심히

열심히 사랑Ⅱ는 열심히 열심히


**청룡**  계속해, 더 나아져!

시키는 대로 해

시키는 대로 해

너한테 시키는 건

우리 모두의 생각이니까


**현무·주작**  네가 원하는 건

너 혼자만의 생각이야


**청룡**  더 노력 해!

게으름은 삶에 대한 모욕이야

네가 원하는 건, 꼴등이야

모두가 원하는 건, 일등이야!


이게 사랑Ⅱ

모두가 엄청 열심히

하지만 너는 적당히

사랑Ⅱ는 한두 사람 게 아냐

모두를 위한 거야

**현무·주작** 계속해 계속해 계속해!

**청룡** 　사랑Ⅱ에 독점은 없어

모두를 위한 거야

모두를 위한 거야

개인주의에 사랑은 끝나

특별하면 모든 게 끝나


연예 산업은 최고의 예술이야

개인이 중요한 게 아니야

가슴 울릴 서비스가 전부야

연예 산업은 감정을 위한 서비스

**현무·주작** 모두를 위한 감정,

너만이 아니라!

**청룡** 　더 잘되라고 하는 거야

고집을 부리지 않아

고집 부리면 사랑은 끝나

고집 부리면 사랑은 끝나


그러니 죽도록 노력해

괴롭지 그럼 계속 달려

네 근육과 뇌 속의 고통이

다른 이들의 마음을 위로하니까


훈련을 마친 이무기짱이 겨우 살아 있다. 부디
아무도 실망하지 않았기를.

(자막) 일 년 뒤….

# V 식사

| | |
|---|---|
| **청룡** | 통과. 힘들게 훈련했으니까 이제 따뜻한 밥 한 끼 먹어야지. 잘 먹는 사람이 일도 잘하는 법이니까. 이제부터 식사 시험이다. |
| **이무기짱** | 잠깐 닮타 해도 돼? |
| **주작** | 하하하하하! 안 돼. |
| **이무기짱** | 어떻게 된 거야? 내 목소리? |
| **주작** | 훈련이 성공적이었다는 뜻이야. 네 몸이 변하고 있어. 이제 거의 아이돌이 된 거야. |
| **이무기짱** | 오케이. |
| **청룡** | 식사 시험은 나만의 하이라이트다. |
| **이무기짱** | 와, 또 다른 시험이네. |
| **청룡** | 예전에, 이미 수백 년 전에, 내가 아직 위쪽 세상에서 살 때, 나도 너만큼이나 혹독하게 훈련받았어. |

매일같이. 하지만 일찌감치 알았어, 해내지 못할
거라는 걸. 훈련을 시작한 지 채 몇 분도 안 되어 온
몸이 아파오고 열심히 하려는 의지가 사라졌거든.
그래도 훈련하는 게 너무 좋았어. 사실 난 예전부
터 신경이 아주 예민해서 잘 못 견디는 편이었어.
아픔이나, 큰 소리, 빛, 공중 화장실 같은 거. 그리고
소금도. 나를 살아 있게 하는 유일한 원동력은 점
심시간이었어. 연습실은 남대문 시장에서 멀지 않
은 곳에 있었어. 사람들로 붐비는 곳인데, 긴 치마
를 입은 여자들은 크고 다급한 목소리로 채소를 팔
았고 남자들은 생선을 팔았지. 곳곳에는 큰 식당들
을 홍보하는 광고판들이 걸려 있었고 이 나라 사방
팔방의 음식들로 냄새가 진동을 했어. 그런데 그
음식 냄새도 세월이 흐르며 많이 바뀌었단다. 머지
않아 처음으로 서쪽에서 온 사람들이 다양한 음식
들을 갖고 들어왔거든. 난 그전까지 죽은 자들의
세상에서 온 사람도 크로와상도 본 적이 없었어.
시장은 많은 영향을 받았고, 파리바게트 같은 서
쪽 공간들이 시장에 문을 열기 시작했지. 파리에서
온 바게트를 팔았나 봐. 대도시에서 넘어온 기다
란 빵. 좀 잘나가거나 세련된 어린 애들이 주로 거
기서 먹었어. 하지만 내 입맛에는 너무 짰어. 안 넘
어가더라고. 그런데 점심시간만큼은 내 세상이었
거든. 그 시간만큼은 일부러 참는 일도, 고통스러

울 일도, 훈련도 용납하지 않았어. 오직 나만의 시간이었으니까! 협소하기가 내 자신감만큼이나 좁은 골목길 안에 식당 하나가 숨겨져 있었는데, 거기서 갈치조림을 팔았어. 왕성갈치라고. 매일같이, 심지어 오늘까지도 그 식당이 사라지지 않기를 바랄 뿐이야. 신의 레시피로 만든 비율은 맵고 달고 강렬한 맛을 내면서 하루 중 최고의 수확이었고 수없이 많은 반찬들이 매일같이 바뀌었어. 그 집 김치하고는 결혼도 하겠다 싶었어. 사람의 영혼을 들여다보고 싶거든 그 집 반찬을 보면 돼. 여러 반찬들과 음식점 주인의 영혼을 난 거기서 본 거지. 난 가족 없이 자라서, 일찌감치 기생학교에 보내져 아이돌이 되어야 했어. 그곳에는 따뜻한 포옹도 격려의 말도 없었고 늘 부족하다는 얘기만 들어야 해서 과연 이렇게 살아야 하는 건가 되묻게 되더라고. 하지만 왕성갈치만 가면 음식점 주인이 나한테 관심을 가져줬어. 아이를 돌보듯이 그렇게. 오늘은 무슨 반찬이 내 입맛에 가장 잘 맞냐며 신경 써주고, 내가 묻기도 전에 반찬을 채워주고, 그 음식으로 나를 갓난아기마냥 감싸 안아줬어. 내가 식당에 들어설 때마다 반갑게 맞아주고, 내가 식당을 나설 때마다 내일 다시 볼 생각에 기뻐해줬어. 그 갈치조림은 내 집이었고, 내 가족이었고, 내 애인이었어. 이무기짱, 우리와 함께 식사 노래를 부르도록 해.

**이무기짱**　노래를 모르는데?

**현무**　아니, 아니. 알 거야. 넌 네가 생각하는 것보다 아는

　　　게 훨씬 많아! 9999년은 긴 시간이니까.

**이무기짱**　하지만!


〈**식사 쏭**〉

**(러브송)**


**(소절 1)**

**청룡**　　순댓국

　　　　애호박찌개

　　　　비지찌개

　　　　김치찌개

　　　　스팸 넣은 김치찌개

　　　　비빔밥 비빔밥


**청룡·현무**　돌솥비빔밥


**현무**　　열무보리비빔밥

　　　　전

　　　　떡볶이

　　　　즉석떡볶이

　　　　로제떡볶이

　　　　국물떡볶이

**현무·주작** 콩국수

동치미 막국수

쌀국수


**주작** 메밀막국수

들깨칼국수

팥칼국수

바지락칼국수

샤부샤부

꽃게찜

코다리찜

계란찜

등갈비찜


**(후렴구)**

**청룡·현무·주작** 된장찌개

스시

달래된장찌개

비빔밥

인절미

순부두찌개

해물파전

잔치국수

*(소절 2)*

**청룡**    닭갈비

치킨

양념치킨

냉면

삼양라면

닭볶음탕

오리탕

추어탕

미역국

만두

떡만둣국

**청룡·현무**  만두전골


**현무**    치즈돈가스

족발

회

파스타

물회

연어회

녹두빈대떡

들깨수제비

**현무·주작**  팟타이

바짝불고기

죽순나물

호박나물

**주작**    파김치

떡갈비

닭발

감자탕

보쌈

떡라면

김밥

청국장

야채호떡

토하젓

마라샹궈


**(후렴구)**

**청룡·현무·주작** 버섯전골

라면

생태탕

내장탕

짜장면

삼계탕

골뱅이소면

구운감자

평양냉면

(브릿지)

**이무기짱**  제육볶음

감자볶음

감자볶음

새우볶음밥

김치볶음밥

돼지국밥

철판볶음밥

낙지볶음밥

통새우

야채튀김

얼큰우동

손된장

소고기된장찌개

오리훈제

감자떡

부대찌개


(후렴구)

**청룡·현무·주작·이무기짱**  간장게장

쫄면

육개장

짜글이

오리탕

햄버거

도라지나물

치즈라면


쥐치조림

순대

조개찜

설렁탕

삼겹살

탕수육

치즈라볶이

두부김치

메밀국수


**청룡**　　음식, 바로 그게 사랑Ⅱ야. 자 이제 이 된장찌개를
　　　　　마저 끓이도록 해. 거의 다 만들었어. 하지만 이걸
　　　　　완벽한 된장찌개로 만들기 위한 마지막 비밀 재료
　　　　　가 빠져 있지. 그걸 찾아내서 제대로 조리해.

**이무기짱**　비밀 재료?

**청룡**　　그렇단다.

**이무기짱**　비밀이라면서 그걸 내가 어떻게 알아?

**청룡**　　그게 식사 시험이다. 네가 그걸 찾아내서 제대로
　　　　　조리해야 해. 우리가 여기 서서 자는 동안에 마저

끓이도록 해.

모두가 자러 간다. 서서 잔다. 이무기짱은 당황한
채 이 시공간에 서 있다.

# VI 서쪽 말고/배신

…관점 없는 블랙 현무만이 눈을 뜬다. 그리고….

현무      이무기짱!

이무기짱    어?

현무      이리 와 봐.

이무기짱    오케이.

현무      만져 봐.

이무기짱    알았어.

현무      느껴져?

이무기짱    뜨거워. 아, 아니다 얼음장처럼 차가워! 아, 잠깐,
아주 뜨거워. 앗 차거!

현무      여기에 네 전임자가 묻혀 있어.

이무기짱    오.

**현무**　　그래. 이게 결코 쉬운 일이 아니야. 그냥 되는 게 아니야. 시험 몇 개 통과했다고 모두를 구원하는 게 아니라고.

**이무기짱**　쉬울 거라 생각 안 했어.

**현무**　　이무기짱, 저 위쪽 세상은 만만한 곳이 아니야. 저기가 얼마나 싫었으면 우리가 직접 목을 땄겠어.

**이무기짱**　이해가 안 가. 모든 게 멋지고 환상적으로 들렸거든. 엄마, 하늘, 고층 빌딩, 알록달록한 빛에 대해 얘기했을 때. 끝없이 많은 것들을 얘기했을 때. 누군가가 떠나면 슬픔을 느낀다는 것도. 그러다 갑자기 모두의 행복을 위해 사랑의 후속편을 찾겠다고? 바보야 뭐야?

**현무**　　그래. 바보라고 쳐. 하지만 저 위쪽 세상이라고 해서 우리보다 똑똑한 사람을 만날 수 있는 것도 아냐.

**이무기짱**　너네 왜 그래? 이해가 안 가. 너네 말은 안 듣는 게 좋겠어. 이상한 짓을 꾸미는 미친놈들일지 누가 알아?

**현무**　　이무기짱. 그렇게 간단한 문제가 아니야.

**이무기짱**　그래, 간단하지 않지. 너만 봐도 그래!

**현무**　　그래 맞아! 모든 게 그래, 나도 그래. 간단한 건 없어. 저 위에는, 나도 잘 모르지만, 저 위에 무슨 일이 있었어. 뭔지는 모르지만 아마도 많은 일들이 수백 년 수천 년에 걸쳐 일어났고, 그러다 최후의

일격을 가한 게 인터넷이었을지도 몰라. 아무튼 뭔가가 있었고, 아주 끔찍하고 암울해.

**이무기짱** 그게 무슨 뜻이야?

**현무** 더 이상 아무 의미가 없어.

**이무기짱** 뭐가?

**현무** 그냥 없어. 예를 들어, 우리는 입이 있고 성대가 있어. 그런데 아무도 자신의 상태가 어떤지 말하지 않아. 대신에 인터넷이 있지. 인터넷상에서는 모두가 아주 행복해 보여, 아주 불행하거나. 그리고 서로를 엄청 혐오해. 인터넷상에서만. 그런데 막상 일상에서는 아주 잘 지내거나 아주 못 지내는 사람은 없어. 이렇게 소리치는 사람도. "당신들 모두 증오해!" 그런데 인터넷에는 있어. 모르겠어. 사람들이 갑자기 다른 사람이 되어 버리는 것 같아. 마치 피와 살로 이루어진 종족이 하나 있고 인터넷 종족이 있는 것처럼. 엄청 겁이 나더라. 그래서 목을 그었어. 어떻게 해야 할지 모르겠더라고.

**이무기짱** 그럼 열심히 하지 못해서 그런 게 아니잖아!

**현무** 어, 근데 비밀이야. 다른 애들한텐 말하지 마. 어느 순간부터 너무 괴로웠어.

**이무기짱** 이유치고는 좀 약한데.

**현무** 그럴지도. 하지만 여기에 있는 네 전임자는 여러 번 자살했어.

**이무기짱** 여러 번?

현무       응, 서쪽의 불완전한 화이트 백호였거든.


_으스스하고 미스터리한 회상 장면 음악._


현무       서쪽은 죽은 자들의 세상이야. 거기서 인터넷도 만
         들어졌어. 그거 말고도 서쪽은 유혹들로 가득해.
         어떻지 상상이 안 되는 곳이야. 그런데 거기서 겨
         우 살아 돌아온 사람들의 이야기를 들어보면 엄청
         섬뜩해.

**이무기짱**   나 _섬뜩한 이야기_ 좋아.

현무       여기, 이 서쪽의 불완전한 화이트 백호가 가끔 얘
         기해 줬어. 거기는 사람들이 모두 자신처럼 아주
         하얗대. 우리처럼 다리 두 개, 팔 두 개, 머리, 머리
         카락이 있고 감정 비슷한 걸 느낀대. 그런데 눈빛
         은 죽어 있고, 목소리에 열정 따윈 없고, 언제나 비
         판적이거나 자기 과시뿐이래. 모든 생각은 자기 자
         신한테서 출발해. 그리고 상상할 수 없을 정도로
         모두가 아주 잘 살아. 지금도 그렇고 그 선조들 그
         리고 선조의 선조들 그리고 선조의 선조의 선조들
         도 모두 잘 살았어. 근데 백호 말에 따르면, 그게 모
         두를 망쳐버린 거야. 갑자기 뇌와 손은 딴짓 할 시
         간이 생겼거든. 그 전에는 생각도 못해 봤던 일들,
         특히 자기 자신을 들여다볼 시간이 많아진 거야.
         그러자 모두가 어찌할 바를 모르고, 안정을 잃고

완전히 미쳐버렸어. 근데 이 광기가 다달이 지나면서 그냥 보통 일이 되어 버렸고, 정상이 되어 버렸어. 모두가 점점 더 미쳐 갔는데 아무도 눈치 못 챈 거야. 심지어 요즘도 계속해서 미쳐가고 점점 더 자기 자신만 생각하고 상대는 더 막 대하고 그러는 게 끝이 없나 봐. 시간이 지나면 모든 게 또 다른 정상이 되어버려. 그래서 죽은 자들의 세상이라 불려. 서쪽에서의 삶은 죽음만큼이나 상상하기 어려운 것이니까.

**이무기짱**  섬뜩하다.

**현무**  여기 이 서쪽의 불완전한 화이트 백호도 어느 날 미쳐버렸어. 안에서 뭔가 부글부글 끓어 오르고 있었나 봐. 그렇다고 흔히 생각하는 미쳐버리는 것과는 달라. 조용해. 정상 같아. 모든 게 정상이야. "안녕하세요" 인사도 하고, 농담에 웃기도 하고, 정치 얘기도 하고, 음식도 반 이상은 안 남겨. 소리도 안 질러, 피도 안 흘려. 배와 귓바퀴를 뚫고 나오는 외계 생명체도 없어. 머리를 쥐어뜯지도 않고 눈이 해까닥 뒤집히지도 않아. 아주 정상이야. 스산할 정도로 정상. 그러다 어느 날 이렇게, 지금 딱 이렇게, 몸 위에 흙을 덮은 채로 누워 있게 된 거지. 깨끗하게 손질된 바닥에 작은 십자가가 꽂혀 있고, 이렇게 써 있었어. '여기 다시 잠들다.' 그래서 내 생각에 사랑Ⅱ는 죽음이야. 이 친구는 사랑Ⅱ에 제

법 가깝게 다가간 거지. 어쩌면 자신의 죽음이, 그러니까 선택받은 자의 죽음이 사랑Ⅱ의 시작이 될 수 있다고 믿었던 게 아닐까? 죽은 자들의 세상에서 온 선택받은 자였으니까. 그리고 너, 음 너는, 너는 여기서 태어났지만, 그래도. 죽음, 그래 그건 말이 돼.

**이무기짱**  오, 그럼 설마 나도?

**현무**  모르겠어. 동쪽, 남쪽 그리고 북쪽엔 내가 있어. 그런데 서쪽만, 불완전한 화이트 백호만 빠져 있어. 선택받은 자로서 느끼는 압박 때문이었대. 그게 말이야, 우리가 너한테 말해주지 않은 게 있거든.

**이무기짱**  뭐?

**현무**  전설에 따르면 선택받은 자는 만 년 동안 훈련해서 무서운 용이 되거나, 네 경우에는 완벽한 아이돌이 되겠지. 그런데 단 한 사람이라도 너를 가리키며 '넌 아니야'라고 하잖아, 그럼 그 즉시 원래의 상태로 그러니까 뱀으로 변신하게 되는데, 이 뱀은 아주 깊고 어두컴컴한 해양 속에서 수치심과 분노를 느끼며 다시는 세상 밖으로 나오지 못해. 그럼 모든 게 수포로 돌아가는 거지.

**이무기짱**  오. 저 위에는 몇 명이나 있어?

**현무**  오. 그게, 아주 아주 많아.

**이무기짱**  얼마나 많은데? 백 명? 천 명? 이천 명?

**현무**  칠십억 명.

**이무기짱**  오.

**현무**  이제 다음 시험을 치를 준비 해. 더 이상 시간을 지체해서는 안 돼. 그리고 이무기짱.

**이무기짱**  응?

**현무**  넌 절대로, 그 어떤 상황이나 그 무슨 일이 생겨도, 서쪽의 방식을 따라서는 안 돼!

알겠지?

**이무기짱**  응.

**현무**  <u>절대로!</u>

# VII 반전

찌개의 거품이 폭발 직전의 화산마냥 뽀끔뽀끔 위로 떠오른다. 발효된 된장 냄새가 정원을 가득 채운다. 이무기짱은 나침반이 북쪽에 고정되어 있지 않은 것마냥 정원 여기저기를 뛰어다닌다. 방향감각을 상실한 채, 이무기짱은 서쪽의 불완전한 화이트 백호 무덤 앞에 갑자기 멈춰 선다.

**이무기짱**  넌 몇 번이나 죽었을까? 몇 번이나 자살한 거야? 매번 아팠어? 자갈에 무릎이 까지기만 해도 진짜 미친 듯이 화끈거리잖아. 근데 목을 베면 얼마나 더 화끈거리고 찌릿찌릿 아플까? 베고 또 베고. 난 삶에 대한 기억이 전혀 없어. 만 년이나 살았는데. 이 한 해만 기억나. 진짜 너무너무 힘들었어. 그 전

만 해도 사는 게 덜 힘들었나 봐, 훨씬 더 재미있고
서로 마음껏 포옹도 하고. 하지만 그 시절은 아쉽
게도 기억이 안 나. 지난 9999년은 진짜 아무것도
기억 안 나. 힘들었던 이 한 해만. 하 진짜! 미쳐버
리겠더라. 훈련하다 죽을 뻔했어. 시험은 뭐가 뭔
지 모르지만 그냥 했어. 그리고 이제, 마지막 시험
을 앞두고 있는지도 몰라. 몇 개나 더 남았는지 아
무도 말해주지 않지만. 그래도 이번이 마지막일지
도 몰라. 아니, 내가 이것까지만 할래. 뭐가 뭔지 도
저히 모르겠거든. 저 위쪽으로 보내지고 나면? 난
저 위에 있고 싶은 걸까? 아이돌이 되고 싶은 걸
까? 언제나 숨 막힐 정도로 멋지게, 내 겉과 속이
모두 완벽해 보이게 춤추고 노래하는 게 내가 진짜
로 원하는 거야? 사람들이 원하는 감정을 느끼게
해주는 게 내가 원하는 걸까? 사랑Ⅱ를 주는 거?
모르겠어. 감정이라는 게 복잡하고 알기 어려운 거
잖아. 근데 그걸 그냥 춤추고 노래하면 엄청난 오
해가 생기지 않을까? 사랑이 정말로 적이야? 어쩌
면 사랑도 힘든 어린 시절을 보내서 우리처럼 구원
을 기다리는 거 아닐까? 내가 뭘 원하는지 물어도
괜찮은 걸까? 내가 원하는 거, 개인이 원하는 건 중
요하지 않다고 하잖아. 근데 무시할 수가 없어. 이
모든 생각들이 내 안에서 절규하고 있으니까. 하
이디처럼. 할아버지가 불에 타는 집에 갇혀 있는

데 도와줄 사람이 없어서 알프스 산에 대고 절규했던 하이디처럼. 너처럼 나도 죽고 싶다는 생각뿐이야. 그런데 어떻게 내 안의 감정을 무시해? 너도 그랬니? 그 사랑Ⅱ라는 게 도대체 뭐야? 여기선 그게 뭔지 아무도 몰라, 다들 예언 얘기만 해. 그게 실현될지도 모르면서. 만약에 감정이라는 게 그렇게 복잡한 거면, 세상에서 제일 복잡한 거면, 근데 정말로 그런 것 같거든. 왜냐하면 내 안에서 감정들이 요동치는 게 느껴지니까. 마치 끝이 무딘 무기를 갖고 일대일로 맞짱 뜨는 세계대전이 내 안에서 벌어지는 기분이야. 모든 걸 파괴한다는 것도 모르면서. 그래서 말인데, 그렇게 복잡한 거라면, 최고이자 최악인 감정의 후속편을 찾는다고 해서 감정이라는 게 단순해질 수 있는 걸까? 어떻게 그래? 내가 멍청해서 이해 못 하는 걸까, 아니면 너처럼 나도 죽은 자들의 세상인 서쪽 출신이라 이미 오래전에 정신이 썩어버렸는데 그걸 모르고 있었던 걸까. 아니면 지난 9999년 동안 그 신과 같다는 인터넷 세상 속에 갇혀 지내느라 모든 걸 망각해 버린건가. 다 상관없어. 쓸데없어. 내 안에서 일어나는 걸 모른 척할 수 없어. 내 안에서 일어나는 세계 대전, 하이디, 온갖 것들 때문에 난 곧 폭발해버릴 것같아. 그럼 용암이 내 머리통에서 눈알을 날려버릴 거고 들끓는 주전자처럼 쉭쉭 소리가 나겠지. 넌 어땠어? 너한테 묻고 싶은 게 너무 많아. 하지만 할 수가 없어. 내가 애타게 찾는 답을 넌 알고 있을지도 몰라. 그런데 들을 수가 없어. 넌 죽었으니까. 여러 번 죽었으니까. 어쨌든 내 얘기 들어줘서 고마워. 난 이제 처음으로, 혼자서 결정을 내릴 거야. <u>행운을 빌어줘.</u>

이무기짱은 해골이 그려진 병을 꺼내더니 몇 방울을 우물에 떨어뜨린다. 이 우물은 연예 산업 경작지를 관개하는 물이다. 그리고 끓고 있는 찌개에 몇 방울 떨어뜨린다.

# 결전 I:반전 II

동서남북을 가리키는 전설 속 세 동물들이 깨어난
다. 배고픈 상태로 끓고 있는 찌개 주위로 모여든다.
각자 숟가락을 하나씩 들고. 숟가락을 입에 넣으려
는 바로 그 순간….

〈언제나 너를 사랑II해 쑝〉
(웅얼 랩)

(후크)
**청룡·주작** 우린 다 알아, 네가 한 짓을 *(Don't worry)*

별일 아니야, 다 괜찮아 *(No sorry)*

네 영혼을 괴롭히지 마

다시 끓이면 그만이야, 찌개

(소절)

**주작**     너한테 화난 거 아니야

우리가 잘못했잖아

그 무슨 일이 생겨도,

언제나 너를 사랑Ⅱ해!

언제나 너를 사랑Ⅱ해!


**청룡**     모든 게 썩어버리길 원하지

모든 게 영원히 죽길 원하지

그 무슨 일이 생겨도

언제나 너를 사랑Ⅱ해!

언제나 너를 사랑Ⅱ해!


(후크)

**청룡·주작**     우린 다 알아, 네가 한 짓을 *(Don't worry)*

별일 아니야, 다 괜찮아 *(No sorry)*

네 영혼을 괴롭히지 마

다시 끓이면 그만이야, 찌개

**(랩)**

**이무기짱**    내가 원하는 거, 모두 썩어 없어져라

내가 원하는 거, 모두 죽어 없어져라

내가 원하는 거, 모두 활짝 피어나라

내가 원하는 거, 모두 살아 움직여라

나는 *Helpless*, 내가 원하는 건 비밀이야

나 혼자서는 해결 못 해, 나만의

*Complicated Feelings*


지식인에 물어봐도 답글은 전부 0개

답글은 전부 0개

인터넷은 신이고, 나는 선택받은 자

하지만 신은 답이 없고 나는 답을 몰라

모두를 위해 예언을 원해, 나를 위해 예언

을 원해


**(후크)**

**청룡·주작**    우린 다 알아, 니들이 한 짓을 *(Don't*

*worry)*

별일 아니야, 다 괜찮아 *(No sorry)*

니들 영혼을 괴롭히지 마

다시 끓이면 그만이야, *찌개*

**청룡**  마지막 비밀 재료는 바로 독이었어! 넌 식사 시험을 통과했다.

**이무기짱**  뭐?

**청룡**  너는 마음의 소리를 따랐고 마지막 재료로 독을 골랐어. 근데 중요한 건 재료가 아니야. 마음이 알려주는 결정을 따르는 거, 그게 바로 사랑Ⅱ로 가는 길이야. 넌 통과했어.

**이무기짱**  하지만 난 너희 모두를 죽이려 했어. 이 정원을 파괴해 버리고 다시는 연예 산업이 피어나지 못하게 하려고 했다고. 이거 전부 다 미친 짓이야!

**주작**  당연하지. 의혹은 말이야, '완벽'이라는 고속도로를 위해 필요한 아스팔트야. 의혹은 중요해. 넌 훌륭한 선택받은 자야, 난 너를 정말 좋아해.

**이무기짱**  누가 내 소원을 들어준다면, 한 번만, 정말 딱 한 번만 뭐가 뭔지 좀 알고 싶어.

**현무**  나도 뭐가 뭔지 모르겠다.

**청룡**  관점 없는 블랙 현무! 너 혼자만의 비밀이 있다고 생각했지. 하지만 비밀은 없어. 여기 이 정원에는 비밀이라는 게 없거든. 난 네 생각을 항상 들어. 네가 꾸는 꿈을 나도 똑같이 꾸거든. 나도 서쪽에서 온 불완전한 화이트 백호가 그리워. 그리고 죽음, 그래, 죽음도 분명히 사랑Ⅱ일 거야.

**주작**  그 모든 거야. 한 사람 생각만 맞는 게 아니라, 모두가 다 맞는 거야. 사실 우리도 모르잖아. 확실하게 아는 건 우리가 서로를 아주 좋아한다는 거야!

**청룡**　모르는 거. 그리고 애정이 우리의 무기야.

**주작**　모르는 게 금이야.

**청룡**　모르는 게 사랑Ⅱ야. 아닐 수도 있고. 모르겠다!

**주작**　이무기짱. 넌 이제 마지막 시험을 앞두고 있다. 이 번 시험은….

**이무기짱**　더 이상 시험은 싫어. 미안, 내가 진짜로 원하는 건 너희들을 전부 학살해 버리고 꼬옥 안아주는 거야!

**주작**　그래 바로 그거야. 로맨틱 코미디와 복수 시험.

**청룡**　제 2부.

## 결전 II: 로맨틱 코미디/복수II

(온갖 감정들 · 눈물)

(피날레 피날레)


**이무기짱**  싫어, 싫어, 싫—어!

**주작**  이번 시험은 네가 우리를 가차 없이 학살하고 꼬옥 안아주는 거야.

**이무기짱**  오케이, 할게, 할게, 할—게!

**주작**  시험 제 1부에서 너는 사랑을, 그러니까 적을 살려 뒀어. 나한테 키스도 제대로 안 했어. 하지만 이제 남은 피날레 장면에서는 모든 걸 걸어야 해. 누군가는 죽어야 하고 누군가는 키스를 해야 해.

**청룡**  즐거움을 위해서라면 꼭 필요한 거지.

## ⟨사랑II⟩

**현무**    *사랑 다음엔 사랑Ⅱ,*
*그 후속편!*
*사랑이지만 더 좋은 거야,*
*그 후속편!*


*사랑 다음엔 사랑Ⅱ,*
*그 후속편!*
*사랑이지만 더 좋은 거야,*
*그 후속편!*


(.....)


**주작** 사랑 역할    이무기짱! 선택받은 자! 여기 내가 왔어! 내
가 돌아왔어! 사랑이, 적이! 전보다 훨씬 더
강력해진 모습으로. 나를 살려두지 말았어
야지.

**청룡**    오, 안 돼! 훨씬 더 강력해진 모습으로 돌아
왔어!

**주작** 사랑 역할    게다가 이제 후회 같은 것도 안 해. 점점 더
큰 만족감을 느낄 뿐이야. 네들 부모가 서
로를 아주 끔찍해 하면서도 정작 이혼은 하
지 못하는 그 매일 매일이. 가장 친한 친구

가 네 애인이랑 자는 바람에 네 심장이 끊어지고 찢어질 것 같은 그 매 순간에. 세상에서 제일 소중한 그 두 사람이 너한테 상처를 주려고 작정한 것 같을 때. 아니, 바로 그 두 사람이기 때문에 상상도 할 수 없는 아픔이 느껴질 때. 왜 그러냐고? 너무 사랑하니까. 장례식장에서, 이제 다시는 함께 할 수 없기 때문에 바로 사랑 때문에 흘리는 모든 눈물이 나를 충만하게 해. 사람들 가슴이 갈가리 찢길 때마다 내 눈에서는 남몰래 반짝반짝 빛이 나. 서로를 너무 사랑해서, 그래서 증오하게 될 때마다. 서로 욕하고 싸우고 전쟁을 일으킬 때마다. 너무 아름답지 않아? 진짜 재미있지 않아? 서로를 너무 사랑해서 증오한다는 게? 이런 걸 누가 만들었을까? 누가 이렇게 비열할까? 하하하하하! 나야 나.

**이무기짱**　아아아! 널 죽여 버릴 거야. 죽어 버려, 이 개새끼야! 네가 한 짓에 대해 죗값을 치러!


사랑 역할의 주작을 두들겨 패는 동안에….


**주작** 사랑 역할　난 굴욕을 가르치는 스승이고, 네들은 내 노예야. 난 감정이라는 게임의 최종 보스인 거

지. 난 시간과 공간을 통틀어 최악의 적이
야. 그런데 이번에도 네들이 날 살려뒀어.
넌 손에 돌을 들고 있으면서도 던지지 못했
어. 살기를 느끼지 못해서, 분별력이 없어
서, 내가 존재하는 이상 모든 건 끔찍할 수
밖에 없다는 걸 이해하지 못해서. 나를 지
워버리지 못하면서 어떻게 사랑Ⅱ를 찾아?
넌 연민을 느꼈고, 양심의 가책을 느꼈고,
그래, 심지어 사랑을 느꼈는데도 나를 살려
뒀어. 난 또다시 내 자신을 지켜냈어. 날 이
길 수는 없어. 이무기짱, 도전해 봐! 어서 해
봐! 넌 못 해. 넌 나를 이길 수 없어. 하하하
하하하! 하하하하하하! <u>하하하하하하하하
하하하하하하하하하하하하하하하하하하하!</u>

**주작** 원래의 주작　이무기짱, 넌 할 수 있어! 포기하지 마! 이겨
야 해!

**주작** 사랑 역할　하하하하하하하, 절대로, 절대로 못 해. 넌 절
대로 못 해! 하하하하하!

**주작** 원래의 주작　어서, 힘을 내! 사랑Ⅱ를 위해서! 우리 모두
의 행복을 위해서!

**주작** 사랑 역할　하하하하하하하하! 절대 못 해! 넌 나를 죽이
고 나한테 키스도 해야 해! 하지만 이 두 가
지를 다 한다고? 넌 못 해, 넌 못 한다고! 선
택해. 나를 죽일래 아니면 키스할래? 선택

| | 받은 자여, 어서 선택을 해, 선택 해! |
|---|---|
| **청룡** | 이무기짱! 옳은 선택을 해야 해! |
| **이무기짱** | 뭐가 옳은 건지 난 몰라! 난 아무것도 몰라! 우리 다 모르잖아! |

(자막) 천둥 번개가 치고 비가 내리고 바람이 분다. 상황이 긴박해진다. 치고받고 싸우는 게 사계절보다 긴 느낌이다. 서서히 모든 게 희미해지고 어두워지더니 조용해진다. 다음 날 아침 해가 뜨는 것처럼 무대가 밝아진다.

# 끝/새로운 시작:

## 사랑의 장례식 / 사랑Ⅱ의 시작

실망 가득 블루 청룡, 불안 장애 레드 주작, 관점 없는 블랙 현무가 한 줄로 나란히 앉아서 만족스럽게 미소 짓고 흐느껴 운다. 이들의 색깔이 조금 더 밝아진 느낌이다. 구멍 사이로 낯선 햇빛이 쏟아지는데 일식만큼이나 낯설다. 이들은 새롭게 세워진 묘비명을 바라본다. 그 위에 사랑이라고 적혀 있다.

**현무**    (무덤을 향해) 오늘 우리는 사랑의 죽음을 애도하기 위해 모였어. 슬픈 날이야. 잔인한 날이야. 세상에서 가장 슬픈 날이야. 세상에서 가장 잔인한 날이야. 일분일초가 이렇게 무겁게 느껴지는 건 처음이야. 네가 없는 삶은 상상조차 할 수 없어. 너랑 다시 잘 지내보려고 그 희망 때문에 우리는 끝까지

싸운 거야. 하지만 의존하는 마음을 애정으로 바꾸기에는 우리의 능력이 부족했나 봐. 진짜 절망적이다. 이 눈물을 언제쯤 멈출 수 있을까. 항상 우리 곁에 있어줘서 고마워. 잔인했던 일은 모두 잊을게.

**청룡** 오늘 이날이 오기만을 기다렸는데, 그냥 멍하네. 그동안의 모든 노력을, 힘들었던 시간을, 완벽에 대한 강박을 네 죽음과 맞바꾸는 날이 오면 난 풀밭에 행복하게 누워서 죽을 때까지 웃을 줄 알았어. 그런데 그렇지가 않아. 눈물이 나. 눈물이 엄청나게 쏟아져. 이렇게 심하게 우는 건 처음이야. 나처럼 이렇게 심하게 운 사람은 없었을 거야. 단 한 번도. 잘 가, 친구야.

**주작** 이봐, 너. 자기야. 네가 자주 떠올라. 아주 많이. 예전에 내가 태어났을 때, 분비물과 피로 범벅이 된 나를 우리 엄마가 꼭 안고 있었어. 우리 엄마는 아무렇지 않아 했어. 나를 아주 다정하게, 그러나 힘껏 안았어. 엄마의 품에서 무조건적인 애정과 나를 위해 죽을 수도 있다는 의지가 느껴졌어. 그것도 기꺼이. 그저 사랑 때문에. 너 때문에! 그리고 한 번은 3주 동안이나 설사를 한 적이 있어. 사랑에 너무 깊이 빠져서 내 배가 장난을 쳤나 봐. 그리고 지금. 지금 이 기분은 뭘까? 네가 죽은 지금. 모르겠어. 그런데 어쩌면 이게 뭔가 엄청나게 좋은 일의 시작일 수도 있어. 완벽함과 무결점의 시작. 난 슬픈 게 아니라, 내 안이 뭔가 따뜻하고 부드러워진 느낌이야. 내 안에 희망이 전혀 없는 것 같다가도 온전히 희망으로 채워져 있어. 네가 없는 나는 텅 빈 느낌이야. 의미가 사라진 기분이야. 그런데 동시에 저 수평선 너머에 그 어디서도 본 적도 들은 적도 없는, 다양한 색깔로 빛나는 네 후속편이 보여. 너와 나, 우린 참 특별한 관계였어. 내 몸으로 들어오더니 증오와 실망으로 가득한 네 껍데기로 나를 이용했잖아. 그 누구보다도 난 널 이해했어. 이제는 다 끝이지만. 우리가 이루어낸 걸 너도 어디서든 어떻게든 볼 수 있기를 바라. 넌 아름다웠어. 하지만 이제 완벽해질 거야. 네가 없었다면 우리는 절대로 해내지 못했을 거야. 다 잘된 거야. 영원히 나쁜 건 없어. 잘 가, 자기야.

**청룡·주작·현무**  파이팅, 영원히, 파이팅!

모두 사랑과 작별 인사를 한 후에, 덮개의 구멍으로 들어오는 햇빛 아래에 선다. 희망 가득한 드라마의 엔딩 음악 속에 새로운 출발을 향한 분위기가 감돈다. 이들 중 한 명이 손목에 수많은 풍선들을 묶자, 나머지 두 명이 이 한 명한테 철썩 달라붙고 이들은 서서히 땅 위로 떠오르기 시작한다. 기대에 넘치는 모습으로 1000만큼 기쁘게 서로를 바라본다. 준비가 되었다!

| 현무 | 역시! 100만큼 가벼워진 거 같아! 다이어트가 효과 있었나 봐? |
|---|---|
| 청룡 | 풍선 때문일 수도. |
| 주작 | 한이 사라진 거야! 그래서 1-2키로 빠졌나 봐. |
| 현무 | 그럼 우리는 이제 그냥 슈퍼-인 건가. |
| 청룡 | 그러네. 출발? |
| 주작 | 출발! |
| 청룡 | 정말로 같이 안 갈 거야? |
| 현무 | 어, 안 가. 사랑Ⅱ는 내 스타일이 아니야. 그리고 누군가는 이 정원을 돌봐야지. |
| 주작 | 위에서 뭐 필요한 거 없어? 구멍으로 던져줄게! |
| 현무 | 쿠쿠 전기밥솥. |
| 주작 | 오케이! |
| 청룡 | 잘 있어, 관점 없는 블랙 현무. 곧 놀러 올게! |
| 현무 | 잘 가! |
| 이무기짱 | (위쪽 세상에서) 우와! 지하에 진짜 기차가 다녀! |
| 청룡·주작 | 이무기짱! 사랑Ⅱ! 방도 좀 치우고 맛있는 거 해놔! <u>우리가 간다!</u> |

(자막) 미래에 대한 희망으로 가득한 엔딩.

## 옮긴이의 말

　「사랑Ⅱ」는 결점 없는 완벽한 감정, 다시 말해 사랑의 후속
편인 사랑Ⅱ를 찾기 위한 여정이다. 그러나 완벽한 감정이 하
나의 허상인 만큼, 이 희곡의 세계도 모든 것이 가능한 상상의
세계를 배경으로 삼는다. 지구의 핵. 세상의 중심. 이 경계적
공간 속에서, 자살했지만 죽지 않은 3명의 전직 아이돌이 존재
한다. 이들은 제4의 멤버를 배양하고 완벽한 아이돌로 길러내
어 사랑Ⅱ를 찾으려 한다. 이는 위쪽 세상의 연예산업이 지닌
유일한 목표이기도 하다. 결점 없는 완벽함이 그 목표를 성취
하기 위한 핵심이다. 그래서 이 여정은 완벽을 연마하는 갈등
과 시련의 시간이기도 하다. 마침내 모든 시험을 통과한 제4의
멤버 '이무기짱'을 통해 사랑Ⅱ는 실현되고, 이 극은 미래에 대
한 희망으로 가득한 채 끝이 난다.

　한 편의 동화 같기도 한 이 희곡은 작가 박본이 바라본 한국
사회를 이야기하고 있다. 독일에서 태어나고 자라 독일인의
사고방식을 지녔지만, 한국인이라는 뿌리를 놓지 않고 사는
그는 두 문화 사이 어딘가에 존재한다. 그래서 스스로를 경계
에 있는 사람으로 규정한다. 그만큼 두 문화에 대한 이해가 깊
기도, 어쩌면 그것을 동력으로 두 사회에 애정을 갖고 그 이면

을 파고들기도 한다. "한국에 오면 쓰고 싶은 이야기들이 넘쳐 난다"는 작가 박본은 우리에게는 너무 익숙해서 식상하다고 느껴지는 소재들을 새로운 시선으로 바라보게 만드는 힘을 지니고 있다. 이 작품 역시 그러하다. 외부인의 시선에서 작가 박본은 한국 사회의 원동력이 완벽을 향한 갈망과 추구에서 비롯된다고 보고 있다. 희곡 곳곳에 이러한 사회의 이면들이 비유적으로 등장하기도 한다. 그러나 크게 보면, 작가 박본은 비판적인 입장을 유보한다. 희곡에서 조명되는 것은 완벽함에 대한 추구가 지닌 본질적인 측면들이지 옳고 그름에 대한 것이 아니다. 예를 들어 K-팝은 그 자체만의 음악적 정체성은 없어 보이지만 여러 요소를 가져와서 그것을 가장 완벽한 모습으로 새롭게 만들어내는 능력에서 그 가치를 찾을 수 있다. 그것이 한국 사회를 이끌어온 원동력이라고 바라본 것이다. 사랑의 후속편인 사랑Ⅱ를 찾는 여정이 이 희곡의 주요 모티브가 되는 만큼, 완벽함에 대한 추구가 어디로 향하는가? 우리가 지향해야 할 다음 단계는 무엇인가를 유쾌한 방식으로 질문하고 있다.

이것이 작가 박본이 지닌 본질적 질문이라면, 「사랑Ⅱ」를 통해서 그 생각을 구현하기 위한 과정에 배우와 스태프 모두가 참여하는 리서치가 그 질문의 답을 푸는 열쇠가 되었다. 연습 첫날 지구의 핵에 있는 정원, 위쪽 세상과의 연결 통로 그리고 자살한 전직 아이돌이라는 콘셉트, 대표곡인 <배터리 1%>의 데모 버전, 특이한 목소리 효과를 내는 오토튠(Autotune) 이펙터를 사용하겠다는 계획 외에는 확정된 것이 없었다. K-팝과 K-드라마라는 하나의 접점을 가지고, 2주에 걸쳐 수많은 이야기가 오갔다. 한국 최초의 걸그룹 '김 시스터즈'부터 K-팝을 패러디한 '매드 몬스터'에 이르기까지 다양한 뮤직비디오들을 보았다. K-팝의 범주는 어디까지인가, 그 음악적 정체성은 어떻게 규정할 수 있는가에 대한 질문들이 오갔다. <사랑의 불시착>은 모두가 보고 와야 하는 숙제가 되었고, 그 외에도 각자 돌아가며 K-드라마를 선정하고 공유했다. 작가의 입장에서, 박본은 K-드라마 안에 여러 장르가 혼재되어 있는 그 대담함과 뻔뻔함에 굉장한 흥미를 보였다. 이를테면 <사랑의 불시착>이 넷플릭스에서 로맨틱 코미디로 분류되어 있지만, 어느 순간 그 장르에 대한 기대감을 전복시키는 장면들이 이어져서 놀랐다는 반응이었다. 2주간 우리가 이야기하고 발견한 사실들은 모두 「사랑Ⅱ」에 고스란히 담겨 있다.

한 예로, 「사랑Ⅱ」의 구조는 K-드라마의 변화무쌍한 장르를 반영하고 있다. 특히 2부와 마지막 결전 장면의 경우, 로맨틱 코미디와 복수극이라는 대립하는 장르가 공존한다. 완벽한 아이돌이 되어야 하는 이무기짱의 가장 큰 시련이 바로 모순되어 보이는 '로맨틱 코미디와 복수' 시험을 통과하는 것이다. K-팝의 특성을 차용한 노래들의 경우, 음악이 지닌 분위기와 가사를 통해 전달되는 이야기 사이에서 발생하는 충돌에 집중한다. <배터리 1%>의 경우 여느 아이돌 그룹의 흥겨운 음악처럼 보일 수 있지만, 그 이면을 들여다보자면 자살이라는 어두운 이야기가 흐르고 있다.

「사랑Ⅱ」의 신화적 세계관 역시 리서치 과정 중에 형성되었다고 볼 수 있다. 신화는 두 가지 관점에서 차용되고 있다. 첫 번째는 신화적 세계가 현실 세계와 연결되어 있다는 점이다. 지구의 핵이 상상의 신화적 세계라면, 위쪽 세상은 우리의 현실이 된다. 그런데 지구의 핵은 위쪽 세상과 동떨어져 존재하는 것이 아니라, 연예산업에 필요한 자원들이 선로를 통해 위쪽 세상으로 보내진다는 설정을 통해 두 세계는 연결되어 있다. 두 번째로, 신화 속 요소들이 「사랑Ⅱ」의 세계를 이루고 있다는 점이다. 동서남북의 사방을 지키는 청룡, 주작, 현무, 백호가 등장인물들로 표현되고 있으며, 그 중앙에 위치하는 황색 용은 지구의 핵으로 대체되어 있다. 또한 차가운 물 속에서 천 년을 견디면 용으로 변한다는 상상 속의 동물 이무기는, 만 년 동안 수련을 거쳐 완벽한 아이돌이 되는 이무기짱으로 표현되고 있다. 이렇게 「사랑Ⅱ」는 그 자체만으로 하나의 세계를 이루고 있으면서도 우리가 살아가는 세상에 대한 비유가 되고 있다.

한편, 그 안에 현실 세계의 잔재들이 남아 있기도 하다. 예를 들어, 3부에서 신비로운 위쪽 세상에 대한 이야기의 말미에 낡은 슬리퍼가 등장한다. 어느 날 구멍을 통해서 지구의 핵으로 떨어진 이 슬리퍼는 청룡, 주작, 현무가 한때 가졌던 위쪽 세상과의 연결성을 상징적으로 보여준다. 또한 대사에 명확하게 표시되어 있는 오토튠 역시 이들의 과거를 알리는 흔적이다. 완벽하게 훈련된 아이돌의 말투와 동작들이 그 자체로 하나의 스타일이 되어 버리듯이, 청룡, 주작, 현무의 말 속에서 언뜻언뜻 튀어나오는 기계 소리는 그러한 훈련의 결과가 체득

된 현상을 위트 있게 상징한다. 같은 이유로, 이무기짱 역시 완벽해질수록 오토튠이 튀어나온다.

이처럼 작가 박본의 희곡이 주는 매력은 통통 튀는 상상력과 엉뚱함에서 비롯된다. 무엇보다 모든 배우와 스태프가 참여한 2주간의 리서치 과정 후에 글이 집필된 만큼, 배우 각자의 특성들이 반영되고 모두가 공유하고 경험한 시간들이 생생하게 투영되어 있다. 연습 3주 차에 들어서면서 그동안의 모든 정보들이 작가의 뇌를 타고 약 60페이지 분량의 희곡으로 쏟아져 나왔다. 작가의 손목은 파스가 장식했다. 그리고 그 텍스트를 번역하는 입장에서, 작가의 독특한 말맛을 살려내기 위해 홀로 고군분투하며 즐거움과 괴로움을 동시에 맛보았다. 마치 이무기짱이 로맨틱 코미디와 복수를 위한 시험을 치르듯이. 희곡을 번역함에 있어 자연스럽고 구어체적인 표현을 지향하는 편이지만, 이번 경우에는 문장 안에 섬세하게 반전되어 있는 의미와 표현들을 놓치지 않으려고 노력했다. 번역가이자 드라마투르그로 두 역할을 동시에 맡은 것이 이 지점에서 큰 도움이 되었다. 낮에는 연습실에서 드라마투르그가 되어 작가의 바로 옆에서 대사의 의도와 의미를 확인하고, 밤에는 그 문장들에 대한 표현을 고민하고 다듬는 번역가로 존재할 수 있었기 때문이다.

크게 본다면 「사랑Ⅱ」는 이무기짱의 성장 스토리가 될 것이다. 그러나 더 본질적으로 이 희곡은 앞서 언급했듯이 작가 박본이 바라보고 느낀 한국 사회에 대한 비유이다. 아이돌과 연예산업을 소재로 한, 한 편의 그로테스크한 동화이기도 하다. 「사랑Ⅱ」는 어딘가 모르게 낯설고 불편하면서도 흥미를 당기기 때문이다. 한 사회 안에 깊숙이 들어가 있으면 보이지 않는 것들이 많다. 「사랑Ⅱ」의 매력은 우리에게 익숙한 것을 낯설게 만들고, 그래서 새롭게 바라보게 한다는 점에 있을 것이다.

# 사랑 II 국립극단 희곡선 4
# LIEBE II

지은이 | 박본 Park Bonn

번역 | 이단비

2021년 8월 23일

| | |
|---|---|
| 펴낸이 | 재단법인 국립극단 |
| | 단장 및 예술감독 김광보 |
| 진행 | 지민주 이지연 |
| 주소 | 서울시 용산구 청파로 373 |
| 웹사이트 | www.ntck.or.kr |
| 전화 | 02 3279 2260 |

| | |
|---|---|
| 펴낸곳 | 걷는사람 |
| 펴낸이 | 김성규 |
| 편집 | 김은경 조혜주 |
| 내지 | 김동선 |
| 주소 | 서울 마포구 월드컵로16길 51 서교자이빌 304호 |
| 전화 | 02 323 2602 |
| 팩스 | 02 323 2603 |
| 등록 | 2016년 11월 18일 제25100-2016-000083호 |
| ISBN | 979-11-91262-47-6 |